Y Felinheli

LL56 4LY

Gweddïau ar gyfer pob dydd i blant bach

Dysg im weddïo'n iawn,
A dysg fi'r ffordd i fyw;
Gwna fi yn well, yn well bob dydd -
Fy mywyd, d'eiddo yw,

Dy blentyn garwn fod,
O! rho i mi fy nghais;
Bydd di yn Dad i mi, O! Dduw;
Mae d'eisiau Di'n barhaus.

Gwilym R Jones

Gweddïau ar gyfer pob dydd
i blant bach

**Casglwyd gan
Aled Davies a Delyth Wyn**

CYHOEDDIADAU'R
GAIR

Ⓟ Cyhoeddiadau'r Gair 2002

Darluniau gan Leon Baxter
Casglwyd gan Aled Davies a Delyth Wyn
Cyhoeddwyd yn wreiddiol gan Lion Publishing plc

ISBN 1 85994 441 8
Argraffwyd yn Malaysia

Cyhoeddwyd gan:
Cyhoeddiadau'r Gair, Cyngor Ysgolion Sul Cymru,
Ysgol Addysg, PCB, Safle'r Normal,
Bangor, Gwynedd, LL57 2PX.

Cynnwys

CYFLWYNIAD

A fyddwch chi yn siarad â Duw, ac yn gweddïo?
Beth fyddwch chi'n ei ddweud wrth Dduw?
Pryd fyddwch chi'n gweddïo?

Fe fydd rhai ond yn siarad â Duw pan maent yn ofnus neu mewn perygl, ond medrwn siarad â Duw unrhyw bryd, lle bynnag yr ydym. Y mae Duw am i ni siarad gydag Ef am bopeth.

Y mae gwahanol fathau o weddïau. Weithiau byddwn yn clodfori Duw am y pethau rhyfeddol y mae wedi ei wneud yn y byd, ac wedi ei wneud i ni. Dro arall byddwn yn gweddïo dros rywun arall, neu'n gofyn i Dduw am faddeuant. Ar adegau eraill byddwn am sôn wrth Dduw am ein hofnau a'n pryderon.

Yn y llyfr hwn mae yna weddïau wedi eu casglu o dan themâu arbennig. Y mae'n dechrau gyda phethau bob dydd, y cartref a'r ysgol, ac yn symud ymlaen i'r byd, at bobl eraill ac at wahanol deimladau. Y mae yma amrywiaeth o weddïau traddodiadol, a modern, yn ogystal â gweddïau gan blant.

Wrth weddïo, y mae'n bwysig ein bod yn rhannu ein teimladau gyda Duw, gan siarad yn agored gydag Ef. Gobeithio y bydd y llyfr hwn yn ein harwain i fedru gwneud hynny.

Delyth Wyn ac Aled Davies

Yn y Bore

Deffro

Arglwydd Dad, diolch am ddiwrnod newydd arall
sy'n llawn o'th gariad Di. Diolch dy fod Ti
yr un ddoe, heddiw a phob yfory a ddaw. Amen.

Diolch i Ti, O Dad, am noson o gwsg.
Diolch am ddiwrnod newydd
ac am iechyd i'w fwynhau.
Bydd gyda mi heddiw wrth fwyta,
wrth weithio ac wrth chwarae.
Llanw fi â'th gariad tuag at bawb
a phob peth o'm cwmpas.
Amen.

O Dduw,
diolchwn am gael gweld diwrnod arall.
Diolch am bopeth sydd i'w wneud heddiw;
am bethau i'w darganfod, ac am ffrindiau i
chwarae gyda nhw.
Diolch am iechyd ac am ddigon o fwyd i'w fwyta.
Diolch am ddiod i'w yfed ac am ddillad i'w gwisgo.
Diolch dy fod Ti yr un heddiw eto -
yn dal i'n caru, er ein bod yn
gwneud llawer o bethau
sy'n anghywir yn Dy olwg.
Diolch dy fod Ti yn maddau i ni
yn enw Iesu Grist. Amen.

Derbyn fi o'r newydd, O Dad,
a boed i bopeth a wnaf ddod â chlod a mawl
I Ti, O Arglwydd. Amen.

Fi

Diolch, O Dad, am fy ngwneud i yn fi.
Does neb yn y byd yn union yr un fath â mi.
Diolch fy mod yn arbennig yn dy olwg Di
a dy fod yn fy ngharu.

O Dduw, Ti sy'n rhoi bywyd i mi,
Ti sydd yn fy nghynnal ac yn rhoi
popeth sydd arnaf ei angen.
Derbyn fy niolch. Amen.

O Dduw,
rwy'n sylweddoli nad ydw i'n berffaith.
Er hyn rwyt yn fy ngharu.
Mae hyn yn fy ngwneud mor llawen.

Diolch i Ti Arglwydd am fy nghreu.
Rhyfeddaf sut mae fy nghorff yn gweithio
gyda phob darn yn cyd-symud a chyd-weithio.
Diolch fod pob manylyn bach yn dangos
gwychder dy waith Di
a bod pwrpas i bob peth a greaist.

Gad imi fod fel drych
Yn dangos dy gariad Di at bawb.
Amen.

Cawsom lygaid clir i weled,
Cawsom nerth i fynd a dod,
Cawsom lais i ganu'n swynol,
Molwn Di drwy ganu'th glod.

O Dduw, diolch ein bod yn gallu rhedeg a chwarae.
Diolch ein bod yn gallu neidio a sgipio.
Diolch ein bod yn gallu gweld a gweiddi.
Diolch am y chwaraeon yr ydym yn eu mwynhau.
Helpa ni i chwarae'n deg bob amser.
Amen.

Fy nheulu a'm Ffrindiau

Diolch i Ti am dad a mam ac eraill sy'n gofalu
amdanom. Bob dydd maen nhw'n gofalu am fwyd,
dillad cynnes a chartref cysurus i ni.
Diolch i Ti am bawb sy'n garedig wrthym,
yn enw Iesu Grist. Amen.

O Dduw,
gweddïaf am dy ofal,
dros bob un yn fy nheulu.
Cadw nhw rhag perygl;
cadw nhw'n iach
a bendithia nhw. Amen.

Mae fy nheulu yn bwysig i mi, Iesu.
Diolch fod pob un yn bwysig i Ti hefyd.
Diolch am ein caru i gyd gymaint. Amen.

Diolch i Ti, Dduw, am frodyr a chwiorydd.
Helpa fi i fod yn garedig wrthyn nhw
ac i rannu fy nheganau â nhw.
Byddwn yn ffrindiau y rhan fwyaf o'r amser
ond mae hi'n anodd weithiau.
Helpa fi i beidio dadlau am bethau bach.
Amen.

Arglwydd,
mae ein rhieni bob amser yn meddwl amdanom ni
cyn meddwl amdanynt eu hunain.
Gofala amdanynt Iesu,
a diolch i Ti am roi rhieni
mor garedig i ni.
Amen.

Diolch i Ti, O Dduw, am taid a nain.
Gofala amdanynt wrth iddynt fynd yn hŷn.

Ein Tad, diolch am gartref lle medrwn deimlo'n ddiogel.
Diolch am gysgod oddi wrth y gwynt a'r glaw.
Ond yn fwy na dim diolch am y cariad
a'r gofal sydd yno. Amen.

Amser Bwyd

O Dad, yn deulu dedwydd - y deuwn
Â diolch o'r newydd,
Cans o'th law y daw bob dydd
Ein lluniaeth a'n llawenydd. Amen.

W. D. Williams

Bydd wrth ein bwrdd, O! Frenin Ne,
Boed i Ti fawredd ymhob lle:
Bendithia'n awr ein hymborth ni,
A gad in wledda gyda Thi.
Amen.

John Cennick, cyf.

O Dad, bendithia'n bwyd
i'n cadw'n fyw,
i'th wasanaethu Di
trwy Iesu Grist. Amen.

Arglwydd, dydw i byth yn mynd heb fwyd.
Wrth imi baratoi i fwyta'r pryd hyfryd hwn,
gad imi gofio am blant sydd heb gael bwyd heddiw.
Amen.

Diolch i Ti am y byd,
Diolch am ein bwyd bob pryd,
Diolch am yr haul a'r glaw,
Diolch, Dduw, am bopeth ddaw.
Amen

Yn Ystod y Dydd

Chwarae

Diolch i Ti Dduw am y bobl sy'n gweithio'n galed i'n ddiddori. Helpa nhw i feddwl am syniadau newydd a dyro nerth iddynt pan fyddant wedi blino. Diolch am yr hwyl a gawn drwyddyn nhw. Amen.

O Dduw, diolch ein bod yn gallu rhedeg a chwarae.
Diolch ein bod yn gallu neidio a sgipio.
Diolch ein bod yn gallu gweld a gweiddi.
Diolch am y chwaraeon yr ydym yn eu mwynhau.
Helpa ni i chwarae'n deg bob amser. Amen.

O Dduw, diolch i Ti am ein diddordebau,
a'r gwahanol bethau a fwynhawn.
Diolch am fedru casglu pethau o ddiddodeb arbennig,
diolch am fedru ymestyn ein cyrff mewn chwaraeon;
diolch am fedru gwneud pethau gyda'n dwylo.
Fe'th addolwn Di am y pethau hyn.
Diolch i Ti Arglwydd, am y rhai sy'n ein dysgu
ac am y rhai sy'n rhoi syniadau newydd i ni.
Arglwydd, mae cymaint i'w ddarganfod
ac i'w fwynhau - diolch!

Diolch i Ti, Arglwydd,
am bawb sy'n ein helpu i fwynhau ein hunain;
am bobl sy'n gwneud rhaglenni teledu;
am bobl sy'n cynhyrchu recordiau;
am bobl sy'n dyfeisio teganau a chwaraeon;
am bobl sy'n ysgrifennu llyfrau ac yn eu dylunio.
Diolch i Ti, Arglwydd,
am bawb sy'n ein helpu i fwynhau ein hunain.

O Dduw, diolch am gael mynd i
lan y môr yn yr haf a chael adeiladu
cestyll tywod. Diolch am gael ymdrochi
yn y môr a chael teimlo'r tonnau yn ein cario.
Helpa ni i fod yn ofalus ar lan y môr a phaid
â gadael i ni wneud pethau ffôl a pheryglus.
Amen.

41

Helpu

O Dduw, helpa ni i ddiolch i bawb sy'n gweithio trosom, trwy ddweud "diolch" wrthynt a thrwy fod yn ufudd iddynt. Mae arnom angen dy help Di i wneud hyn. Amen.

Gwna fi yn addfwyn fel Tydi
Wrth bawb o'r isel rai;
Gwna fi yn hoff o wrando cwyn,
A hoff o faddau bai.

Eifion Wyn

Iesu annwyl, ffrind plant bychain,
　　Bydd yn ffrind i mi;
Gafael yn fy llaw i'm harwain
　　Gyda Thi.

Dad,
Diolch am fy mywyd ac am faddau fy meiau.
Helpa fi i fyw yn well.
Diolch am dy gariad. Amen.

Fy Ffrindiau

Ti, O Dduw, yw fy ffrind gorau i.
Nid wyt Ti byth yn fy siomi.
Rwyt Ti bob amser yn barod i faddau i mi.

Rwyt Ti gyda mi bob amser.
Helpa fi i fod yn debycach i Ti. Amen.

O Arglwydd, bydd gyda'r rhai
sy'n unig ac heb gyfeillion.
Helpa ni i siarad gyda phobl sy'n swil.
Boed i'n cyfeillgarwch ni
eu helpu i ddod i dy adnabod Di fel cyfaill.
Amen.

Arglwydd, rydym am weddïo dros bob plentyn
sy'n sâl. Gofynnwn i Ti fod yn agos atynt.
Helpa ninnau i fod yn garedig wrthynt. Amen.

O Dad, helpa fi i gofio
fod gwneud pethau bychain dros eraill.
yn werthfawr yn dy olwg Di.

Ein Tad, diolch am y gwyliau. Diolch am gyfle i wneud
rnwy o'r pethau hynny rydym yn eu mwynhau fwyaf.
Helpa ni i ddewis gwneud pethau diddorol a da.
Cymorth ni i osgoi pethau sy'n beryglus neu'n ddrwg.
Ond pan fyddwn yn meddwl, dweud, neu wneud pethau
anghywir yn dy olwg, helpa ni i ddweud, "Mae'n ddrwg
gen i". Yn enw Iesu Grist. Amen.

Gwyliau

Annwyl Iesu,
mae llawer o bethau yn fy ngwneud i'n hapus.
Pan fyddaf yn chwarae gyda'm ffrindiau
byddaf yn teimlo'n hapus.
Ond yr hyn sy'n fy ngwneud yn hapusach na
dim arall yw siarad â Thi. Diolch i Ti. Amen.

O Dad, pan fyddwn yn hapus helpa ni i wneud ein gorau i wneud pobl eraill yn hapus hefyd. Diolch i Ti am yr amseroedd pan fyddwn yn teimlo mor dda nes ein bod eisiau canu o lawenydd.

Addolwn Di, O Dduw, am y diwrnod hyfryd hwn - am yr awyr las, yr heulwen gynnes, y blodau lliwgar a'r coed tal. Amen.

Popeth glân a phrydferth,
A phob creadur byw,
Popeth doeth a rhyfedd,
Fe'u crewyd oll gan Dduw.

Mrs C. F. Alexander (1884) cyf. Jane Owen, Llanfairfechan.

Ni wn beth a ddaw i'm rhan heddiw,
yfory nac yn y dyfodol.
Ond gwn y byddi Di gyda mi hyd byth.
Diolch i Ti, Iesu. Amen.

Diolch i Ti am flodau sy'n harddu ein gwlad.
Helpa ni i fod yn debyg iddynt trwy geisio dod
â harddwch i fywydau pobl o'n cwmpas.
Amen.

O Dduw, diolch am greu ein byd. Diolch am ei wneud yn brydferth. Diolch am oleuni'r dydd i gael gweld. Diolch am dywyllwch y nos i gael cwsg. Diolch am y lliwiau hardd sydd o'n cwmpas.

Diolch am flodau, coed, bryniau, afonydd a môr.
Helpa ni i gofio dy fod wedi rhoi'r byd a phopeth
sydd ynddo yn ein gofal ni.
Gweddïwn hyn yn enw Iesu Grist. Amen.

Y Tywydd

Diolch i Ti, O Dduw, am yr haul a'r glaw sy'n peri i blanhigion dyfu er mwyn rhoi bwyd inni. Amen.

Maddau i ni, O Dad, am ddifetha ein gwlad
bob tro y byddwn yn taflu sbwriel ar y llawr.

Molwn Di, O Arglwydd, am dy ddaioni.
Ti sy'n gwneud i'r haul ddisgleirio gan roi goleuni
a gwres i ni.
Ti sy'n rhoi glaw i ddyfrhau'r tir ar gyfer tyfiant.
Ti sy'n gorchuddio'r ddaear â barrug ac eira tlws.
Ti'n sy'n rheoli'r gwynt a'r stormydd.

Ti sy'n gosod yr enfys yn yr wybren fel
arwydd o'th ofal trosom.
Molwn di, O Arglwydd, am dy ddaioni.
Amen.

Dad,
Diolch am fy mywyd ac am faddau fy meiau.
Helpa fi i fyw yn well.
Diolch am dy gariad. Amen.

Diolch Iesu, am bob rhodd. Diolch am ein caru
bob amser hyd yn oed pan fyddwn mewn
hwyliau drwg. Diolch am dy faddeuant. Amen.

Pan fydd y tywydd yn oer, diolch i Ti Dduw,
am ein cartrefi clyd, am ein hysgol gynnes ac
am y gwres y tu mewn i ni sy'n deillio o gariad
y rhai o'n cwmpas.

O Arglwydd
gofala am yr anifeiliaid
sydd allan drwy'r gaeaf.
Amen.

Anifeiliaid

Diolch i Ti, ein Duw, am y creaduriaid
y byddwn yn eu hedmygu; y rhai sy'n
arbennig ymhlith yr anifeiliaid a'r adar.

Diolch am y llew - brenin yr anifeiliaid.
Diolch am yr eryr - brenin yr adar.
Molwn Di, Greawdwr a Brenin y greadigaeth.

O Dduw, diolch i Ti am anifeiliaid anwes
sy'n rhoi cysur a chwmni i lawer o bobl.
Diolch am fy anifail anwes i.
Helpa fi i'w gadw'n ddiogel
rhag iddo gael niwed. Amen.

Dad annwyl,
Mae anifeiliaid yn rhan
o dy greadigaeth di.
Helpa pawb i ofalu amdanynt
fel yr wyt Ti'n gofalu amdanom ni.
Amen.

O Dduw, cymorth ni i fod yn garedig
wrth yr anifeiliaid anwes sydd gyda ni gartref.

Gad i ni fod yn barod i fynd â'r ci am dro,
hyd yn oed pan fyddwn wedi blino,
neu eisiau gwylio'r teledu,
a gad i ni gofio rhoi bwyd i'r pysgodyn aur bob dydd
a rhoi dŵr glân iddo bob wythnos. Amen.

O Dduw, maddau i bawb
sy'n taflu sbwriel a gwydr ar y llwybr
lle byddaf yn mynd â'r ci am dro.

Boed iddynt sylweddoli pa mor beryglus
ydy hynny i anifeiliaid.
Gwna iddyn nhw gofio rhoi eu sbwriel
mewn bin.

O Dduw, diolch i Ti am greu anifeiliaid.
Helpa ni i ofalu amdanynt ac i fod yn garedig wrthynt.
Maddau i ni am eu camdrin.
Diolch am y bobl sy'n gofalu amdanynt ym mhob
ffordd - ffermwyr, gweithwyr mewn sŵ ac mewn
cartrefi anifeiliaid. Amen.

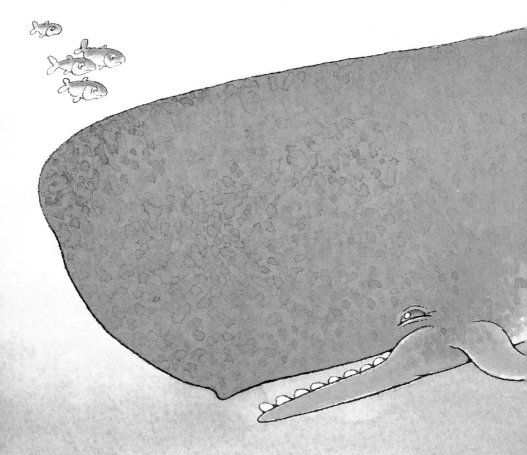

Amser Hapus

Diolch i Ti, O Dad, am yr adegau hapus
yn fy mywyd i.

Diolch am yr hapusrwydd a gaf gyda'm teulu a'm
ffrindiau ar achlysuron arbennig,
pan fydd pawb wedi dod at ei gilydd
i ddathlu ac i rannu eu llawenydd.
Diolch am amseroedd mor werthfawr.

Diolch i Ti, O Dduw, am gyfeillion - am eu cariad
ac am yr hwyl a gawn yng nghwmni'n gilydd.
Helpa ni i ofalu am ein gilydd bob amser
fel y byddi Di'n gofalu amdanom ni. Amen.

Mae fy nheulu yn bwysig i mi, Iesu.
Diolch fod pob un yn bwysig i Ti hefyd.
Diolch am ein caru i gyd gymaint. Amen.

Arglwydd,
mae'n anodd bodloni ar yr hyn sydd gen i
pan welaf ffrindiau yn cael pethau y
breuddwydiaf amdanynt.
Mae'n anodd bod yn hapus yn eu cwmni
heb deimlo fy mod yn cael cam.

Rwy'n gwybod na ddylwn i deimlo fel hyn.
Maddau i mi, Arglwydd ac agor fy llygaid i
weld pa mor ffodus ydw i.
Buaswn wrth fy modd petawn i'n cael gwared
o'r teimlad yma.
Arglwydd, helpa fi. Amen.

Diolch i Ti, O Dad, am ein doniau.
Helpa ni i wneud y gorau ohonynt
yn ein gwaith bob dydd. Amen.

Annwyl Iesu,
mae llawer o bethau yn fy
ngwneud i'n hapus.
Pan fyddaf yn chwarae gyda'm
ffrindiau byddaf yn teimlo'n hapus.
Ond yr hyn sy'n fy ngwneud yn
hapusach na dim arall yw
siarad â Thi. Diolch i Ti. Amen.

Amser Trist

Annwyl Dduw,
pan wy'n drist ac unig
gweddïaf arnat.
Wedyn, nid wyf yn unig.

Ashley Sturges (12 oed)

Arglwydd Iesu, rydw i'n teimlo mor drist heddiw, ond gwn y gwnei Di ofalu amdanaf a'm cysuro. Diolch dy fod Ti'n deall sut rydw i'n teimlo. Amen.

O Dad, mae rhai pethau'n fy ngwneud yn drist.
Diolch i Ti am wrando arnaf pan fyddaf i'n
siarad gyda Thi, yn arbennig pan fyddaf yn
teimlo'n drist fel hyn. Amen.

Annwyl Iesu, rydw i wedi sychu'r dagrau
erbyn hyn, ond rydw i'n dal i deimlo'n drist.
Diolch dy fod Ti'n deall. Rydw i am fynd i gysgu
nawr. Helpa fi i wynebu pawb yfory â gwên ar fy
wyneb. Amen.

Diolch i Ti, O Arglwydd,
am bawb sy'n gofalu amdanom.
Boed i ni ddysgu gofalu
trwy ddilyn eu hesiampl hwy. Amen.

O Dduw,
cyflwynwn ein hunain i'th ofal Di
ar amser mor drist.
Amen.

Diolch i Ti, O Dduw, am dy rodd o ofal
a'th rodd o roi. Diolch am dy ofal drosom ni.
Helpa ni i ofalu'n well am eraill.

Ruth Elmitt (8oed)

Yn y Nos

Amser Distaw

O Dduw,
cofia am bawb sydd heb gartref yn ein
gwlad. Helpa ni i'w cynorthwyo drwy
gefnogi elusen fel Shelter Cymru.
   "Cysgod, bwyd a dillad,
    Ti a'u rhoddaist im." Amen.

Annwyl Iesu,
pan ddoist Ti i'r byd nid oedd gennyt gartref;
preseb oedd dy wely a stabl oedd dy gysgod.
Helpa ni i gofio am bawb sy'n ddigartref heddiw.
Helpa ni feddwl am ffyrdd i'w cynorthwyo.
Gwna ni'n fwy parod i'w caru.

Diolch i Ti, Dduw, am y Beibl, dy Air Di i ni.
Diolch am bopeth sydd ynddo.
Diolch fod y Beibl yn dweud hanes Iesu
ac yn egluro pam y daeth Ef i farw trosom ni.
Diolch hefyd ei fod yn dangos sut wyt Ti
am i ni fyw. Helpa ni i gymryd dy Air o ddifrif.
Yn enw Iesu Grist. Amen.

Ti sydd wedi rhoi cymaint i mi
gofynnaf am un peth arall,
sef calon ddiolchgar,
er mwyn Iesu Grist.

George Herbert (1593-1632) cyf.

Ymolchi

Iesu annwyl, ffrind plant bychain,
  Bydd yn ffrind i mi;
Gafael yn fy llaw i'm harwain
  Gyda Thi.

Dangos beth a ddylwn garu,
Beth ei lwyr osgoi;
Ac o lwybrau drwg, fy Iesu
Gad im ffoi.

Dysg im dyfu mewn daioni,
Fel y tyfet Ti;
Buost Ti yn blentyn heini
Fel myfi.

Walter J Mathams (cyf. J D Evans)

Amser Gwely

Nefol Dad, mae eto'n nosi
Gwrando lef ein hwyrol weddi -

Nid yw'r nos yn nos i Ti,
Rhag ein blino gan ein hofnau,
Rhag pob niwed i'n heneidiau,
Yn dy hedd, O! cadw ni.

Elfed

Arglwydd Iesu, maddau i mi am bopeth drwg a wnes i heddiw. Mae'n ddrwg gen i os bûm yn anghwrtais, yn anufudd neu yn anniolchgar.
Weithiau mae hi'n anodd bod yn dda drwy'r amser.
Gad i mi wneud yn well yfory. Amen.

Annwyl Iesu, bu bron imi fynd i gysgu heb
ddweud fy mhader. Rwyf wedi cael diwrnod
hir heddiw ac rwyf wedi blino'n lân.
Wnei Di ofalu amdanaf pan fyddaf yn cysgu?
Diolch. Amen.

Ein Tad, diolch am fwyd, dillad a phopeth oedd ei wir angen arnom heddiw. Diolch am gwmni ffrindiau a theulu. Diolch am bawb sydd wedi bod yn garedig tuag atom ac wedi rhoi help i ni heddiw.

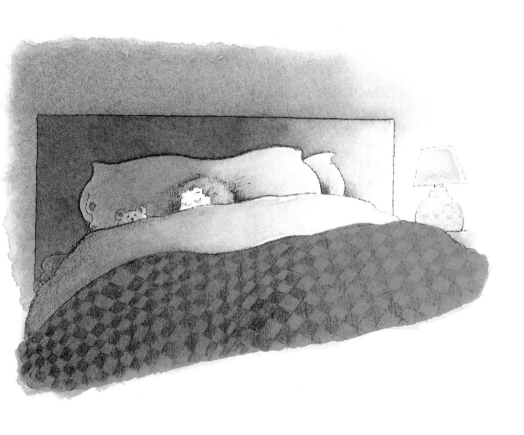

Gofynnwn i Ti ein cadw'n ddiogel yn ystod oriau tywyll y nos. Helpa ni i roi ein ffydd yn Iesu gan gofio ei fod wedi addo bod yn agos at bawb sy'n gwir ddymuno ei gwmni.

Gofynnwn hyn yn enw Mab Duw. Amen.

Arglwydd Iesu, 'dwyt Ti byth yn fy ngadael.
Gwylia drosof tra fyddaf yn cysgu
a chadw fi a'm teulu rhag pob niwed. Amen.

Dyddiau a Gweddïau Arbennig

Pen-blwydd

Diolch i Ti, O Dad, am dy ofal drosof yn ystod
y flwyddyn a aeth heibio.
Diolch am ddiwrnod pen-blwydd arall.
Helpa fi i rannu peth o lawenydd y dydd gyda'm
ffrindiau. Amen.

Ar ddydd pen-blwydd, dymunwn ni
Ddedwyddwch mawr, a hwyl i chi;
Boed bendith Duw i chi o hyd,
Eich bywyd fo yn fawl i gyd.

Annwyl Dduw,
rwy'n hoffi dathlu fy mhen-blwydd a
phen-blwydd fy ffrindiau am fod pawb yn hapus.
Rwy'n hoffi rhoi anrhegion, ac rwy'n hoffi eu derbyn.
Diolch i Ti. Amen.

Dydd Sul

O Dduw, helpa fi i gofio mai dydd yr Arglwydd yw heddiw am fod Iesu wedi atgyfodi ar y dydd hwn. Maddau i mi am anghofio pwysigrwydd y Sul.

O Dduw, helpa ni i ddiolch i'n hathrawon trwy fod yn ffyddlon i'r ysgol Sul ac i Iesu Grist. Helpa ni i gofio yr hyn rydym yn ei ddysgu ar ddydd Sul fel y gall ein helpu i fyw yn debyg i Iesu Grist yn ystod yr wythnos. Amen.

O Dad Nefol, diolch i Ti am wneud y Sul yn ddydd o orffwys. Diolch am yr amser a gawn i'w dreulio gyda'n teuluoedd a'n cyfeillion. Ond paid â gadael i ni anghofio, Arglwydd, fod dydd Sul yn medru bod yn unig iawn i bobl sydd heb deulu.

Boed i ni gofio rhannu dy ddiwrnod Di gyda'r rhai
sydd angen ein cariad a'n cyfeillgarwch. Amen.

Nadolig

Diolch i Ti, O Dduw, am y Nadolig. Mae'n gyfnod i gofio dy fod wedi rhoi dy Fab i ni. Helpa ni y Nadolig hwn i ddysgu rhoi. Amen.

Annwyl Iesu, diolch am gael dathlu dy ben-blwydd eto eleni. Doist yn dawel a diffwdan heb firi na rhialtwch ac eto Ti oedd y rhodd fwyaf allai dyn ei gael. Diolch i Ti am ddod i'n daear ni er mwyn dangos i ni sut un yw Duw. Amen.

Diolch i Ti, Iesu, am ddod i'r byd yn faban bach,
yn un ohonom ni, a hynny er mwyn marw
drosom. Mae'n ddrwg gennym nad oedd lle ar
dy gyfer y Nadolig cyntaf hwnnw. Yn aml iawn

byddwn ni heddiw yn dy gau Di allan o'n
bywydau. Maddau i ni a helpa ni i roi lle i Ti
bob amser ym mhob peth y byddwn yn ei wneud.
Amen.

Y Pasg

Diolch i Ti, Iesu am ein caru gymaint nes i
Ti farw trosom ar y groes.
Helpa ni i'th garu trwy fyw yn llwyr i Ti.
Amen.

O Grist, rydym ni mor hapus nad Gwener y
Groglith oedd diwedd dy hanes a bod Duw
wedi dy atgyfodi. Rwyt Ti'n fyw heddiw ac yn
ein mysg.
Diolch i Ti am gynnig ail gyfle i ni. Amen.

Diolch i Ti, O Dduw, am atgyfodi dy Fab
Iesu Grist. Gwyddom drwy hyn fod popeth
a ddywedodd amdano'i hun yn wir - mai Mab
Duw ydoedd a'i fod yn Waredwr i bawb sy'n

credu ei eiriau. Diolch i Ti fod Iesu yn fyw
heddiw a bod miloedd o bobl ar draws ein byd
yn dod i'th adnabod fel Duw Byw trwyddo Ef.
Amen.

Gweddi'r Arglwydd

Ein Tad yn y nefoedd,
sancteiddier dy enw;
deled dy deyrnas;
gwneler dy ewyllys, ar y ddaear fel yn y nef.
Dyro inni heddiw ein bara beunyddiol,
a maddau inni ein troseddau,
fel yr ŷm wedi maddau i'r rhai a droseddodd yn ein herbyr
a phaid â'n dwyn i brawf,
ond gwared ni rhag yr Un drwg.
Oherwydd eiddot ti yw'r deyrnas a'r gallu a'r gogoniar
am byth. Amen.

Ein Tad, mae ôl dy law i'w weld ym mhobman. Gofalaist yn hael a thyner amdanom eto eleni a mawr yw ein diolch i Ti. Ond Arglwydd, wrth wylio'r teledu fe welwn luniau o blant fel ni sy'n byw ar gegaid o rawn a grafant o'r llwch. Arglwydd, maddau i ni fod yna gymaint o annhegwch yn ein byd. Amen.

Diolch i Ti, O Dad, am drydan, nwy a glo a phob ynni sydd ar gael i'w ddefnyddio. Diolch eu bod nhw'n gwneud ein bywydau yn fwy cysurus a'u bod yn darparu swyddi ar gyfer nifer o bobl. Helpa ni i gofio mai oddi wrthyt Ti y daw'r cyfan. Amen.

O Dad, diolch i Ti am Gymru, ein gwlad arbennig
ni. Rydym yn falch iawn ohoni, yn falch o'i hiaith
a'i thraddodiadau. Diolchwn dy fod Ti wedi bod
yn rhan mor bwysig yn ei hanes a gweddïwn y
bydd pobl ein gwlad yn dal i ymddiried ynot Ti
am ddyfodol ein gwlad.

Diolch i Ti, O Dad, am yr iaith Gymraeg.
Diolch am lyfrau, cylchgronau, a rhaglenni teledu
a radio yn ein hiaith. Diolch am gael mwynhau
siarad, canu a darllen yn Gymraeg.
Helpa ni i wneud ein gorau i gadw'r iaith yn fyw.